C000151099

Las cosas de Pablo

Juan Farias

Ilustraciones de Carmen Lucini

ediciones **sm** Joaquín Turina 39   28044 Madrid

Primera edición: mayo 1993
Séptima edición: septiembre 2000

Dirección editorial: María Jesús Gil Iglesias
Colección dirigida por Marinella Terzi
Ilustraciones: Chata Lucini

© Juan Farias, 1993
© Chata Lucini, 1993
© Ediciones SM
    Joaquín Turina, 39 - 28044 Madrid

Comercializa: CESMA, SA - Aguacate, 43 - 28044 Madrid

ISBN: 84-348-3969-5
Depósito legal: M-30011-2000
Preimpresión: Grafilia, SL
Impreso en España / *Printed in Spain*
Orymu, SA - Ruiz de Alda, 1 - Pinto (Madrid)

A los músicos de Bremen

TE contaré que ya sé leer
y que escribo despacio.
   Al principio me gustaba poco,
pero ahora es
como correr con mi perro
de un lado a otro,
que me den una manzana
o ver llegar a casa
un cesto lleno de peces.

  Claro que lo mejor
es dormirse en el regazo de mamá
mientras mamá canta bajito
ese cantar que cuenta
cómo bosteza el duende
cuando se duerme el niño.
  Sólo por eso,
no me gustaría crecer.

Te contaré que vivo
en un pueblo de pocos,
en una casa pequeña,
cerca del muelle.
Te contaré
que papá tiene una barca
y la llama *Carmela.*
Te contaré
que mamá también se llama Carmela
y sabe hacer un montón de cosas,
y panetón de San Julián,
sumar y cantar.

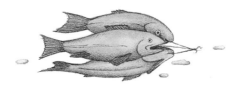

Mamá, por las mañanas,
va al mercado y vende
lo que papá pesca durante la noche.
Papá unas noches pesca mucho
y otras, poco o nada.

Papá lee más despacio que yo
y a veces no entiende lo que lee.
Papá dice que a mí
no va a pasarme lo mismo.

Te contaré que tengo un perro,
se llama *Trasto*
y es un montón de pelo con patas.
   A *Trasto*,
lo que más le gusta
es correr la playa
levantando a las gaviotas,
aullarle a la luna de marzo,
rascarse detrás de la oreja,
gruñirle al sacristán
y alborotar los gallineros.

Trasto me acompaña
a todas partes.
También quiere entrar
en la escuela,
pero don Julio no le deja.
Es bueno tener un perro.

15

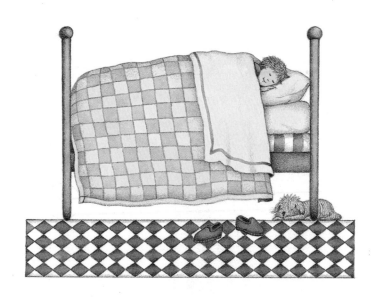

Por lo visto,
también es bueno ir a la escuela.
Yo voy tan contento.
Claro que los días de frío
prefiero quedarme en la cama
y pensar,
pero mamá no me deja.

Me gusta que llueva,
porque se hacen charcos
y es divertido saltar
dentro de ellos,
con los pies juntos.
Lo malo es que, luego,
mamá se enfada,
me da un vaso de leche caliente
y dice que la voy a volver loca.

Te contaré
que uno de mis mejores amigos
se llama Juan.

Juan es viejo,
y lo que más le gusta
es hacer memoria en voz alta.

Un viejo
que hace memoria en voz alta
es muy entretenido,
sobre todo
si de joven fue marinero
en muchos barcos
y en uno que fue a la China.

Juan, sentado en el muelle,
al sol si hace sol,
mira a la mar
y siente nostalgia.

21

Me gustaría
que todos los días del año
fuesen de Navidad,
o de San Cosme,
o de mi cumpleaños.

Escríbeme.

TE contaré que aquí
la gente vive de la pesca
y de sembrar patatas.

El pueblo, dicen,
es antiguo, mucho,
de antes de que se inventasen
la bombilla y la bicicleta.

El pueblo es importante.
Tiene una iglesia,
dos campanas,
un faro,
una plaza
y, en medio de la plaza,
la estatua de un gran hombre.

El gran hombre se llamaba Atanasio,
fue bajito,
regordete,
barbón
y músico.

El pueblo está sobre el acantilado,
en alto,
igual que la estatua del gran hombre,
y, como el gran hombre,
es bajito.
Ninguna casa tiene más de dos pisos
ni menos de cien años.

Nunca he subido en ascensor.

Algún día
contaré los niños y niñas
que hay en el pueblo.
Estoy seguro
de que pasan de veinte.

Casi todos son hijos de pescadores,
pero también está Froilán,
el hijo del médico.

Froilán dice que, cuando sea mayor,
será como su padre
y nos curará la tos
si nos da la tos.

El padre de Froilán
tiene muchos libros,
algunos con dibujos.

También tiene un esqueleto
colgado de una percha.

El esqueleto se llama Mariano
y a veces va a la escuela.

Mariano se desarma.

Te contaré
que las letras son veintinueve,
que con ellas puedes escribir
montones de palabras,
palabras alegres,
rápidas,
brillantes,
palabras que dan miedo
o que abren el apetito,
palabras para correr
detrás de ellas
o para estarte quieto
y esperarlas con los ojos cerrados.

   Si escribo la palabra «manzana»,
veo la manzana,
la veo en un árbol
o en la mano de Eulogia,
la frutera,
cuando la coge de su cesto,
me la da y dice:
   —Toma, rapaz,
que te va a gustar.

En esto de jugar con las palabras,
lo más divertido es ponerlas en fila
y hacer un cuento.

La palabra «león»,
sobre todo si es un león feroz,
puede resultar emocionante.

La palabra «campana» suena;
la dices en voz alta,
partiéndola en tres,
y suena.

Cam - pa - na.

Te contaré
que me gustaría ser campanero,
pero no me dejan.

35

La iglesia de mi pueblo es antigua
y parece oscura.

Tiene dos campanas
en lo alto de la torre
y se las puede oír desde muy lejos.

Por las campanas sabes
si es fiesta de reír
o tiempo de difuntos.
Te anuncian que ha nacido un niño,
o que un abuelo se fue para siempre.

Una de las campanas
se llama María
y la otra, José.

María se despierta
antes que los gallos.

Al atardecer,
sólo suena José.

Escribo: «primavera».
Leo: «primavera».
Pienso: «primavera».

¿Cómo es donde tú vives?
Te contaré que aquí
primero florecen los cerezos
del Campo Santo.
Aquí,
la primavera entra al bosque,
a los prados,
pasea por el pueblo
y abre los geranios
de la señora Encarna.

También se despiertan
las ranas de abril,
que son pequeñas y verdes.
De noche,
a las ranas les gusta meter ruido,
y tú, si quieres dormir,
tienes que poner una linterna
en medio de la charca.
La luz hace que las ranas,
por muy locas que estén,
se queden quietas,
muy quietas,
con los ojos abiertos.

En primavera,
además de las ranas,
se despiertan las mariposas,
el abejorro de la madera,
las avispas,
las lagartijas
y otros bichos.

¿Sabes cazar grillos?

Te contaré que, en primavera,
Ciriaco, por orden del señor alcalde,
planta pensamientos
alrededor de la estatua del gran hombre.
   Ciriaco no sólo planta pensamientos,
también hace recados en bicicleta,
vocea los bandos
y tiene una manguera.
   A mí, a veces,
me gustaría ser Ciriaco,
pero no me dejan.

   Escríbeme.

DESPUÉS de la primavera
viene el verano.
Esto lo saben todos,
incluso los más distraídos.
    En verano
se cierra la escuela;
se guardan las haches,
que nunca sé dónde ponerlas;
se guarda el estáte quieto,
no seas revoltoso,
deja en paz a Agapito,
no me saques de quicio, niño.

Mamá abre el cajón
de las camisas sin mangas,
de los pantalones cortos
y el andar descalzo.

En verano,
papá me lleva con él,
en la barca,
a pescar.

Otoño es una palabra redonda,
la escribes,
le haces unos arreglos
y se convierte en un triciclo.
   Lo peor del otoño
es que don Julio, el maestro,
abre la escuela
y empiezas a oler a tiza.
   ¿Qué tal te ha ido este verano?

En invierno
puede salir el sol,
pero calienta distinto,
mucho menos que en verano,
y los días son más cortos.
También llueve y hace frío.
En invierno, a veces,
la mar se pone de mal humor
y papá no puede trabajar.

Casi siempre sueño en colores
y lo paso bien.
En sueños,
uno puede hacer cosas imposibles,
como mover las orejas y volar.
Te contaré que éste es
uno de mis sueños preferidos:
muevo las orejas
y vuelo por encima de las casas
y de los amigos.
Trasto se pone nervioso
y me ladra.

He soñado cosas fantásticas,
pero a veces me dan pesadillas
y eso ya no tiene ninguna gracia.
   Cuando te dan pesadillas,
como no sabes que estás dormido,
pasas mucho miedo.
   Una vez soñé
que me perseguía el hombre de barro.
   El hombre de barro es enorme,
ruge y quiere hacerme tragar
las haches de una en una.
Y sin agua.

¿Tienes cuentos?

Yo sí, cuatro,
y los guardo en mi armario.

Tengo uno que habla de gigantes
encerrados en frascos diminutos,
de lámparas maravillosas,
princesas encantadas,
alfombras voladoras
y cuarenta ladrones
que viven dentro de una montaña.

Es un libro entretenido.
Lo leo despacio y me divierte.

Esta noche,
o mañana,
te haré un dibujo.
Puede que te dibuje a *Trasto*,
a Simbad y a *yo*,
mientras buscamos a Pulgarcito
en el bosque de la Vieja.
Claro, Clara,
que también puedo dibujar algo
que no esté en los libros,
algo fantástico y que te guste;
por ejemplo,
un cesto lleno de manzanas,
para regalarle una a cada uno
de los siete enanitos
y otra a ti.

Escríbeme.

Te contaré
que el pasado jueves cumplí años.
   Mamá hizo postre de leche frita
y papá dijo:
   —Ya eres todo un hombre.
   Papá lo dijo en broma,
por reír,
y reímos,
pero cualquier día será cierto.
   Entonces,
si no decido ser barbón,
tendrá que dejarme
su navaja de afeitar.

Cuando sea hombre,
y alto, y fuerte,
iré a muchos sitios:
al desierto,
en un camello;
al Polo Norte,
en un trineo
tirado por siete perros,
cada uno con su nombre propio;
a la selva,
montado en un elefante blanco;
a una ciudad
donde las casas tengan
montones de pisos,
a subir en ascensor,
una, dos, tres veces,
montones de veces,
hasta que me aburra.

También seré un buen pescador,
uno de los mejores.
    Voy a tener una barca nueva
y le pondré tu nombre.

Escríbeme.

Pablo

EL BARCO DE VAPOR

SERIE BLANCA (primeros lectores)